가장 쉬운 중국어
첫걸음의 모든 것

동양b**ks

<간체자 쓰기 노트>는 어려운 글자보다
꼭 알아야 하는 기본 글자를 중심으로
구성하였습니다.

우리가 사용하는 한자와 간체자는 다르다?

蟲 難 體

한자가 어렵다, 겁난다고 생각하는 이유 중 하나는 바로 저런 글자들 때문일 것입니다. 중국인들 역시 옛 한자들이 누구나 쉽게 익히기에는 무리가 있다고 여겨, 1956년 기존의 복잡한 글자를 간단하게 바꾼 새로운 표기법을 만들었습니다. 이것이 바로 '간단한 형태의 글자', 간체자입니다. 예전의 표기법은 '번체자'라고 구분하여 부릅니다.

蟲 ➡ 虫,　難 ➡ 难,　體 ➡ 体

간체자는 일정한 규칙만 알면 우리가 사용하는 한자에서 금방 유추해 낼 수 있습니다.

1. 일부분만 선택
2. 일부분만 선택하고 나머지 부분은 단순화
3. 편방을 단순화
4. 특징이나 윤곽선을 강조
5. 발음이 같은 글자로 대체
6. 서를 해서로 대체
7. 회의 문자의 뜻을 선택
8. 형성 문자의 원리를 선택

岡	굳세다 강	冈
車	수레 거	车
見	보다 견	见
犬	개 견	犭
廣	넓다 광	广
金	쇠 금	钅
幾	어찌 기	几
區	구역 구	区
龜	거북이 귀	龟
刀	칼 도	刂
東	동 동	东
兩	둘 량	两
婁	건물 루	娄
馬	말 마	马
麥	보리 맥	麦
門	문 문	门
絲	실 사	纟
手	손 수	扌
水	물 수	氵
食	먹다 식	饣
心	마음 심	忄
雙	쌍 쌍	双
魚	물고기 어	鱼
言	말씀 언	讠
龍	용 용	龙
雲	구름 운	云
韋	가죽 위	韦
衛	보위하다 위	卫
衣	옷 의	礻
醫	의사 의	医
人	사람 인	亻
殘	해치다 잔	戋
長	어른 장	长
爿	조각 장	丬
傳	전하다 전	专
齊	나란히하다 제	齐
鳥	새 조	鸟
草	풀 초	艹
蟲	벌레 충	虫
齒	이 치	齿
貝	조개 패	贝
風	바람 풍	风
火	불 화	灬
頁	머리 혈	页

간체자 쓰기의 순서

1. 왼쪽에서 오른쪽으로 씁니다.

川   川 川 川

2. 위에서 아래로 씁니다.

王   王 王 王 王

3. 가로획을 먼저 쓰고 세로획을 씁니다.

左   左 左 左 左 左

4. 글자가 대칭형인 경우에는, 가운데를 먼저 쓰기도 하고

水   水 水 水 水

가운데를 나중에 쓰기도 합니다.

串   串 串 串 吕 串

이제는 직접 간체자를 써볼 차례입니다. 다음과 같은 점에 주의하여 써보세요.

- 소리 내어 읽으면서 쓰세요.
- 획수를 지켜서 쓰세요.
- 관련 단어를 띠올리머 쓰세요.

nǐ	你　너, 당신 니　　　　　　　你你你你你你你
你 때 너, 당신	

hǎo	好　좋을 호　　　　　　　好好好好好好
好 형 좋다, 훌륭하다	

wǒ	我　나 아　　　　　　　我我我我我我我
我 때 나, 우리	

hěn	很　패려궂을 흔　　　　　很很很很很很很很很
很 부 아주, 대단히	

tā	他　다를 타						他他他他他
他							
㉙ 그, 제삼자							

men	們　들 문						们们们们们
们							
㉙ ～들 (명사 뒤에 붙어서 복수를 나 타냄)							

1　잘 지내시죠?　　　　你 ⬜ ⬜ ?

2　잘 지내요.　　　　⬜ 很好。

3　가족들도 잘 지내시죠?　⬜ ⬜ ⬜ 好吗?

4　그들 모두 잘 지내요.　⬜ ⬜ ⬜ 很好。

nín	您　너 이	您您您您您您您您您您
您 ㈐ 당신, 你의 존칭	您　您	

guì	貴　귀할 귀	貴貴貴貴貴貴貴貴貴
贵 ㈑ 중시하다 ㈒ 비싸다, 귀하다	贵　贵	

jiào	叫　부르짖을 규	叫叫叫叫叫
叫 ㈑ 이름이 ～이다, 소리 지르다	叫　叫	

rèn	認　알 인	认认认认
认 ㈑ 알다, 인식하다	认　认	

zhè	這　이 저	这 这 这 这 这 这 这
这 ㈜ 이, 이것	这　这	

chī	吃　말 더듬을 흘	吃 吃 吃 吃 吃 吃
吃 ⑧ 먹다	吃　吃	

다음 문장을 완성해보세요.

1　실례지만, 성함이 어떻게 되세요?　　　　□问，您□姓?

2　이름이 희선입니다.　　　　我□喜善。

3　알게 되어 반갑습니다.　　　　□识您，很高□。

4　이 음식 맛있나요?　　　　这个菜□□吗?

suì	歲　나이 세	岁岁岁岁岁岁
岁		
몡 해 양 살, 나이		

shì	是　옳을 시	是是是是是是是是是
是		
통 ～이다, 옳다고 여기다		

nǎ	哪　역귀 쫓을 나	哪哪哪哪哪哪哪哪哪哪
哪		
때 어떤, 어떤 것		

guó	國　나라 국	国国国国国国国国
国		
몡 국가		

hán	韓　나라 이름 한	韩韩韩韩韩韩韩韩韩韩韩韩
韩 몡 나라이름	韩　韩	

péng	朋　벗 붕	朋朋朋朋朋朋朋朋
朋 몡 친구	朋　朋	

1　저는 올해 스불여덟 살입니다.　　我今年二十八　。

2　저는 양띠입니다.　　我　羊。

3　저는 한국인이에요.　　我是　　　。

4　그는 누구입니까?　　　是　?

bà	爸　아비 파	爸爸爸爸爸爸爸爸

爸

명 아빠

mā	媽　어미 마	妈妈妈妈妈妈

妈

명 어머니

zhí	職　벼슬 직	职职职职职职职职职职职

职

명 직책, 직위

yuán	員　인원 원	员员员员员员员

员

명 일꾼, 성원

shū	書　글 서	ㄱ 书 书 书
书 몡 책	书　书	

guǎn	館　객사 관	馆馆馆馆馆馆馆馆馆馆馆
馆 몡 여관, 호텔, 상점	馆　馆	

다음 문장을 완성해보세요.

1 식구가 몇 명이에요?　　你家 ☐ ☐ ☐ 人?

2 아버지는 회사원이세요.　　☐ ☐ 是公司 ☐ ☐。

3 나는 도서관에 가요.　　我去 ☐ ☐。

4 나는 여자친구가 없어요.　　我 ☐ ☐ 女 ☐ ☐。

xiàn	現 나타날 현	現 現 現 現 現 現 現 現
現 ⑲ 현재, 지금 ⑧ 나타나다	現 現	

zài	在 있을 재	在 在 在 在 在 在
在 ⑧ 존재하다, ~에 있다	在 在	

diǎn	點 점 점	点 点 点 点 点 点 点 点 点
点 ⑱ (시간) 시 ⑲ 점, 얼룩 ⑧ 머리를 끄덕이다	点 点	

xīng	星 별 성	星 星 星 星 星 星 星 星 星
星 ⑲ 별, 스타	星 星	

kàn	看　볼 간	看看看看看看看看看
看 ⑧ 보다, 읽다	看　看	

diàn	電　번개 전	电电电旦电
电 ⑲ 번개, 전기 ⑧ 감전되다	电　电	

다음 문장을 완성해보세요.

1　지금 몇 시지요?　　　　　☐☐几点?

2　오늘은 7월 3일이에요.　　☐☐七☐三☐。

3　오늘이 금요일인가요?　　　今天☐☐☐吗?

4　내일 영화 보는 거, 어때요?　明天☐☐☐，怎么样?

ne	呢　어조사 니	呢呢呢呢呢呢呢呢
呢 ㉾ 의문 어기조사		

lǚ	旅　나그네 려	旅旅旅旅旅旅旅旅旅旅
旅 ㉾ 여행하다, 외출하다		

zhōu	週　두루 주	周周周周周周周周
周 ㉾ 주도면밀하다 ㉾ 주, 주일		

mò	末　끝 말	末末末末末
末 ㉾ 마지막, 끝		

fàn	饭　밥 반	饭饭饭饭饭饭饭
饭 몡 밥, 식사	饭　饭	

diàn	店　가게 점	店店店店店店店店
店 몡 가게, 상점	店　店	

다음 문장을 완성해보세요.

1　지금 뭐 하고 있어요?　　　　你在　什么　?

2　여행 가세요?　　　　你去　　吗?

3　주말에 친구를 보러 베이징에 가요.　　　我去　　看朋友。

4　베이징 호텔이 어디 있나요?　　　北京　　在哪儿?

zěn	怎 어찌 즘	怎 怎 怎 怎 怎 怎 怎 怎 怎
怎 ⒟ 왜, 어째서	怎 怎	

yàng	樣 모양 양	样 样 样 样 样 样 样 样 样 样
样 ⒨ 모양, 꼴 ⒴ 가지, 종류	样 样	

guā	颳 모진 바람 괄	刮 刮 刮 刮 刮 刮 刮 刮
刮 ⒟ 바람이 불다	刮 刮	

sǎn	傘 우산 산	伞 伞 伞 伞 伞 伞
伞 ⒨ 우산, 양산	伞 伞	

jí	急　급할 급	急急急急急急急急急
急 ⑱ 긴박하다, 빠르고 세차다	急　急	

jiè	借　빌릴 차	借借借借借借借借借借
借 ⑧ 빌리다, 꾸다	借　借	

다음 문장을 완성해보세요.

1　오늘 날씨 어때요?　　今天天气　　　　　?

2　나는 우산이 없어요.　　我没带　　　。

3　초조해 죽겠어요.　　　　　我了。

4　저에게 우산 하나만 빌려주세요.　　给我一　雨伞吧。

huān	歡　기뻐할 환	欢 欢 欢 欢 欢 欢
欢 ⑧ 좋아하다 ⑱ 기쁘다	欢　欢	

yào / yāo	要　구할 요	要要要要要要要要要
要 ⑧ 필요하다, 요구하다	要　要	

qián	錢　돈 전	钱 钱 钱 钱 钱 钱 钱 钱 钱 钱
钱 ⑲ 화폐, 돈	钱　钱	

cháng	嘗　맛볼 상	尝 尝 尝 尝 尝 尝 尝 尝 尝
尝 ⑧ 맛보다	尝　尝	

bié	別　다를 별	別 別 別 別 別 別 別
別 형 별개의, 다른 부 ～하지 마라	別　別	

jiù	就　이룰 취	就 就 就 就 就 就 就 就 就 就 就
就 부 곧, 즉시, 바로	就　就	

다음 문장을 완성해보세요.

1　어서 오세요, 무엇이 필요하세요?　　　□□光临，您□什么?

2　맛 한번 보세요.　　　您□□。

3　얼마나 필요하세요?　　　您要□□?

4　다른 것도 필요하신가요?　　　还要□□吗?

shì	試　시험할 시	试试试试试试试试
试 ⑧ 시험 삼아 　해보다	试　试	

chuān	穿　뚫을 천	穿穿穿穿穿穿穿穿穿
穿 ⑧ 꿰뚫다, 　옷을 입다	穿　穿	

duǎn	短　짧은 단	短短短短短短短短短短短短
短 ⑱ 짧다, 작다 ⑧ 모자라다	短　短	

cháng	長　길 장	长长长长
长 ⑱ 길다	长　长	

néng	能　능할 능	能能能能能能能能能能
能 몡 능력, 재능 조통 ~할 수 있다	能　能	

pián	便　편할 편	便便便便便便便便便
便 혱 편리하다 '便宜(싸다)'의 구성자	便　便	

다음 문장을 완성해보세요.

1　한번 입어볼게요.　　　　　　　我　□一下。

2　너무 짧아요.　　　　　　　□□了。

3　다른 색상은 없나요?　　　　有□□别的□□?

4　조금만 깎아 주실 수 있나요?　□不□便□一点儿?

lí	離　떠날 리	离离离离离离离离离离
离	离　离	
동 떠나다 전 ～에서부터		

yuǎn	遠　멀 원	远远远远远远远
远	远　远	
형 멀다, 차이가 많다		

de / děi	得　얻을 득	得得得得得得得得得得得
得	得　得	
조 보어를 이끄는 조사 조동 ～해야 한다		

zuò	坐　앉을 좌	坐坐坐坐坐坐坐
坐	坐　坐	
동 앉다, 타다		

chē	車　수레 거				车 车 车 车
车 명 차, 수레	车	车			

guǎi	拐　속일 괴				拐拐拐拐拐拐拐拐
拐 동 방향을 바꾸다, 유괴하다, 빼앗다	拐	拐			

다음 문장을 완성해보세요.

1　천안문에 어떻게 가나요?　　　　天安门　　　走?

2　버스를 타고 가야 해요.　　　　你　　　公共汽车去。

3　버스 정류장은 어디에 있나요?　　　　在哪儿?

4　오른쪽으로 꺾으면 바로 도착해요.　向　　就到了。

wèi / wéi	喂　먹일 위	喂喂喂喂喂喂喂喂喂喂喂喂
喂 ⑳ 여보세요, 이봐 ⑧ 먹이를 주다, 　기르다	喂　喂	

jiē	接　접할 접	接接接接接接接接接接接
接 ⑧ 받다, 　접수하다, 잇다	接　接	

gāng	刚　굳셀 강	刚刚刚刚刚刚
刚 ⑲ 단단하다, 　강하다 ⑭ 방금, 막	刚　刚	

dǎ	打　칠 타	打打打打打
打 ⑧ 때리다, 　〜를 하다, 　(전화를) 걸다	打　打	

sù	诉　아뢸 소	诉诉诉诉诉诉诉
诉 ⑧ 하소연하다, 　고소하다	诉　诉	

děng	等　등급 등	等等等等等等等等等等等等
等 ⑨ 등급 ⑧ 기다리다 ⑱ 대등하다	等　等	

1　왕선생님 좀 바꿔주세요.　　　　请王先生 ▢▢▢。

2　며칠 후에 다시 전화하세요.　　　你过 ▢ 天再 ▢ 吧。

3　베이징의 전화번호 좀 알려주세요.

　　请你 ▢▢ 我北京的电话 ▢▢。

4　잠깐만 기다리세요.　　　　　请 ▢▢。

gàn	幹　줄기 간	干 干 干
干 ⑧ 일을 하다, 종사하다		

qiú	球　공 구	球 球 球 球 球 球 球 球 球 球 球
球 ⑲ 공, 볼, 지구		

xǐ	喜　기쁠 희	喜 喜 喜 喜 喜 喜 喜 喜 喜 喜 喜 喜
喜 ⑧ 즐거워하다		

yùn	運　옮길 운	运 运 运 运 运 运 运
运 ⑧ 돌다, 운동하다 ⑲ 운수, 운명		

| tè | 特 | 유다를 특 | 特特牛牛特特特特特特 |

特						
	特	特				

(형) 특수하다, 특별하다
(부) 특히

| mí | 迷 | 미혹할 미 | 迷迷迷迷迷迷迷迷迷 |

迷						
	迷	迷				

(명) 애호가, ~광
(동) 심취하다

다음 문장을 완성해보세요.

1 점심 식사 하셨어요?

你吃 ☐ ☐ 了 ☐ ☐ ?

2 마리와 함께 먹었어요.

我 ☐ 马丽 ☐ ☐ 吃了。

3 수업이 끝나면, 바로 축구하러 가요.

☐ 了 ☐ ，我 ☐ 去踢足球。

4 어제 축구경기 보셨나요?

你看了 ☐ ☐ 的足球 ☐ ☐ 吗?

zhōng	终 마칠 종	终 终 终 终 终 终 终 终

终

- 명 끝, 마감
- 동 끝나다
- 부 결국

duì	對 대답할 대	对 对 对 对 对

对

- 동 대답하다, 맞서다
- 형 옳다, 정확하다

tiě	鐵 쇠 철	铁 铁 铁 铁 铁 铁 铁 铁 铁 铁

铁

- 명 쇠, 철
- 형 강철 같다, 굳세다

zhǔn	準 법도 준	准 准 准 准 准 准 准 准 准 准

准

- 동 ~에 준하다, 의거하다

mǎi	買　살 매			买买买买买买
买 동 사다, 구입하다	买	买		

bāng	幫　도울 방			帮帮帮帮帮帮帮帮帮
帮 동 돕다	帮	帮		

다음 문장을 완성해보세요.

1　마침내 왔네요.

你 ☐☐ 来了。

2　지하철 타고 오셨나요?

你 ☐ 坐 ☐☐ 来的吗?

3　준비는 다 되셨어요?

你们 ☐☐☐☐ 吗?

4　저 좀 도와주세요.

☐ 你 ☐☐ 我。

liǎng	兩　두 량	两两两两丙丙两两
两 ㊖ 둘, 2		

kuài	快　쾌할 쾌	快快快快快快快
快 ㊗ 빠르다		

zhēn	眞　참 진	真真真真真真真真真真
真 ㊗ 진실하다 참되다		

rǎo	擾　어지럽힐 요	扰扰扰扰扰扰扰
扰 ㊕ 어지럽히다, 교란하다		

huà	話　말할 화	话话话话话话话话
话 (동) 말하다 (명) 언어, 이야기	话　话	

zhù	祝　빌 축	祝祝祝祝祝祝祝祝祝
祝 (동) 축원하다	祝　祝	

다음 문장을 완성해보세요.

1　어떻게 지내셨어요?　　　　　　　□□怎么样?

2　아주 즐겁게 지내요.　　　　　　过得挺□□。

3　별말씀을 다하세요.　　　　　　　□□□□。

4　(멀리 가는 사람에게) 편히 돌아가세요.　　□你一路□□。

dān	單 홑 단			单单单单单单单单
单 圆 홑, 단일, 혼자 圈 간단하다	单 单			

jī	鷄 닭 계			鸡鸡鸡鸡鸡鸡鸡
鸡 圆 닭	鸡 鸡			

yú	魚 고기 어			鱼鱼鱼鱼鱼鱼鱼鱼
鱼 圆 물고기	鱼 鱼			

ná	拿 잡을 나			拿拿拿拿拿拿拿拿拿
拿 圄 손으로 잡다, 가지다, 파악하다	拿 拿			

shuō	說　말씀 설	说说说说说说说说说
说 ⑧ 말하다, 이야기하다	说　说	

tōu	偷　훔칠 투	偷偷偷偷偷偷偷偷偷偷
偷 ⑧ 도둑질하다	吃　吃	

1 먼저 메뉴판을 주세요.　　先 ☐☐☐ 给我。

2 위샹러우쓰를 가장 잘 합니다.　　☐☐ 肉丝最 ☐☐ 的。

3 들으셨어요?　　你 ☐☐ 了吗?

4 듣자하니 보석을 전부 도둑맞았대요.

听说珠宝都被 ☐☐ 偷走了。

liǎn	脸　뺨 검	脸脸脸脸脸脸脸脸脸脸脸
脸 ⑲ 얼굴, 낯, 체면		

fú	服　옷 복	服服服服服服服服
服 ⑲ 의복 ⑧ 옷을 입다, 약을 먹다, 담당하다		

dǒng	懂　명백할 동	懂懂懂懂懂懂懂懂懂懂懂懂懂懂懂
懂 ⑧ 알다, 이해하다		

jǐn	緊　굳을 긴	紧紧紧紧紧紧紧紧紧紧
紧 ⑧ 팽팽하다, 긴급하다		

bìng	病　병병	病病病病病病病病病
病 몡 질병, 결함 통 병이 나다		

yào	藥　약약	药药药药药药药药药
药 몡 약		

다음 문장을 완성해보세요.

1　안색이 안 좋아요.　　你　　不太好。

2　어디 불편하세요?　　你　　不　　吗?

3　걱정 마세요. 제가 통역해 드릴게요.

　　　　, 我给你　　吧。

4　의사 선생님, 심각한 병인가요?　　　　, 我的　严重吗?

huàn	换 바꿀 환	换换换换换换换换换换

换
동 바꾸다, 교환하다

bì	幣 비단 폐	币币币币

币
명 돈, 화폐

huì	滙 물 돌아 나갈 회	汇汇汇汇汇

汇
동 합류하다, 모이다, 송금하다

lǜ	率 율률	率率率率率率率率率率率

率
명 비율

hù	護 보호할 호			护护护护护护护
护 ⑧ 보호하다	护 护			

dài	帶 띠 대			带带带带带带带带带
带 ⑲ 띠, 끈, 벨트 ⑧ 가지다, 휴대하다	带 带			

다음 문장을 완성해보세요.

1 달러를 위안화로 바꾸고 싶은데요.　　我想把美元 ☐☐ 人民币。

2 오늘 환율이 얼마인가요?　　今天的 ☐☐ 是多少?

3 당연한 일인데요.　　那是 ☐☐。

4 세어보세요.　　请 ☐ 一 ☐。

tiē	贴　붙을 첩	贴 贴 贴 贴 贴 贴 贴 贴
贴 동 붙이다, 　 접근하다	贴　贴	

yóu	邮　역말 우	邮 邛 邒 邮 邮 邮 邮
邮 동 우편으로 　 보내다	邮　邮	

piào	票　쪽지 표	票票票票票票票票票票票
票 명 표, 티켓	票　票	

jì	寄　부칠 기	寄寄寄寄寄寄寄寄寄寄寄
寄 동 (편지를) 　 부치다	寄　寄	

ràng	讓　사양할 양				让 让 让 让 让
让 ⑧ 양보하다, ～하도록 시 키다	让	让			

huó	活　살 활				活活活活活活活活活
活 ⑧ 살다, 생존하다 ⑲ 일	活	活			

1 얼마짜리 우표를 붙여야 하나요?　　要 ☐ 多少 ☐ 的 ☐ ☐ ？

2 무게를 한번 재볼게요.　　让我 ☐ ☐ ☐ 儿。

3 일주일도 안 걸려요.　　不 ☐ 一个 ☐ ☐ 吧。

4 빠를수록 편리해요.　　☐ 快，越 ☐ ☐ 。

wǎng	網　그물 망	网 冂 冈 网 网 网
网 몡 그물 통 그물로 잡다	网　网	

pái	排　밀칠 배	排 扌 扫 扫 排 扫 扫 排 排 排 排
排 통 밀다, 　배열하다	排　排	

biǎo	表　겉 표	表 表 表 表 表 表 表 表
表 몡 겉, 표면, 　외모, 계량기 통 나타내다	表　表	

chà	差　어긋날 차	差 差 差 差 差 差 差 差 差
差 통 어긋나다, 　잘못되다 혱 표준에 　미달하다	差　差	

a	啊 어조사 아	啊啊啊啊啊啊啊啊啊啊
啊 ⒜ 놀람, 감탄을 나타냄	啊 啊	

liàng	亮 밝을 량	亮亮亮亮亮亮亮亮亮
亮 ⒣ 밝다 ⒟ 드러나다	亮 亮	

다음 문장을 완성해보세요.

1 축구, 테니스, 배구 등 전부 좋아해요.

　　球，　　球，　　球什么的都喜欢。

2 당신과 같아요.　　　　　　　　我　你　　。

3 어느 팀이 이길 것 같아요?　　你　　哪个队会　？

4 골인! 예술인데요!　　　　　　进了!　　!

jī	機　틀 기	机机机机机机
机	机 机	
⑲ 기계, 시기		

gǎn	趕　달릴 간	赶赶赶赶赶赶赶赶赶赶
赶	赶 赶	
⑧ 따라가다, 재촉하다, 쫓아내다		

jiān	間　사이 간	间间间间间间间
间	间 间	
⑧ 사이, 중간		

dēng	登　오를 등	登登登登登登登登登登登
登	登 登	
⑧ 높은 곳으로 오르다, 게재하다		

zhāng	張　펼 장	张 张 张 张 张 张 张 张
张 〔동〕 열다, 늘어놓다	张　张	

téng	疼　아플 동	疼 疼 疼 疼 疼 疼 疼 疼 疼 疼
疼 〔형〕 아프다 〔동〕 몹시 귀여워 하다	疼　疼	

1 비행기가 이륙합니다.　　　　　　　□□□□。

2 빨리 가서 탑승 수속을 밟으세요.　　你□□去□登机手续吧。

3 어디로 가서 줄을 서야 하나요?　　我□□在哪儿□□？

4 당신 때문에 골치 아파요.　　你真□我□□。

PART1
1. 好, 吗
2. 我
3. 家, 人, 也
4. 他, 们, 都

PART2
1. 请, 贵
2. 叫
3. 认, 兴
4. 好, 吃

PART3
1. 岁
2. 属
3. 韩, 国, 人
4. 他, 谁

PART4
1. 有, 几, 口
2. 爸, 爸, 职, 员
3. 图, 书, 馆
4. 没, 有, 朋, 友

PART5
1. 现, 在
2. 今, 天, 月, 号
3. 星, 期, 五
4. 看, 电, 影

PART6
1. 干, 呢
2. 旅, 游
3. 周, 末, 北, 京
4. 饭, 店

PART7
1. 怎, 么, 样
2. 雨, 伞
3. 急, 死
4. 借, 把

PART8
1. 欢, 迎, 要
2. 尝, 尝
3. 多, 少
4. 别, 的

PART9
1. 试 혹은 穿
2. 太, 短
3. 没, 有, 颜, 色
4. 能, 能, 宜

PART10
1. 怎, 么
2. 得, 坐
3. 车, 站
4. 右, 拐

PART11
1. 接, 电, 话
2. 几, 打
3. 告, 诉, 号, 码
4. 稍, 等

PART12
1. 午, 饭, 没, 有
2. 跟, 一, 起
3. 下, 课, 就
4. 昨, 天, 比, 赛

PART13
1. 终, 于
2. 是, 地, 铁
3. 准, 备, 好, 了
4. 请, 帮, 帮

PART14
1. 过, 得
2. 愉, 快
3. 哪, 儿, 的, 话
4. 祝, 平, 安

PART15
1. 把, 菜, 单
2. 鱼, 香, 拿, 手
3. 听, 说
4. 小, 偷

PART16

1. 脸, 色
2. 哪, 儿, 舒, 服
3. 不, 要, 紧, 翻, 译
4. 大, 夫, 病

PART17

1. 换, 成
2. 汇, 率
3. 应, 该, 的
4. 数, 数

PART18

1. 贴, 钱, 邮, 票
2. 称, 一, 下
3. 到, 星, 期
4. 越, 方, 便

PART19

1. 足, 网, 排
2. 跟, 一, 样
3. 觉, 得, 赢
4. 漂, 亮

PART20

1. 飞, 机, 起, 飞
2. 赶, 快, 办
3. 应, 该, 排, 队
4. 让, 头, 疼

memo